Un chameau pour maman

Un chameau pour maman

Lucie Bergeron

Illustrations
FRANCE FORANT

Données de catalogage avant publication (Canada)

Bergeron, Lucie, 1960 -

Un chameau pour maman

(Collection Libellule)

ISBN 2-7625-4029-1

I. Forant, France. II. Titre. III. Collection.

PS8553.E73C52 1991   jC843'.54   C91-096534-X
PS9553.E73C52 1991
PZ23.B47Ch 1991

Conception graphique de la couverture : Bouvry Designer Inc.

Illustrations couverture et intérieures : France Forant

© Les Éditions Héritage Inc. 1991
Tous droits réservés

Dépôts légaux : 4e trimestre 1991
Bibliothèque nationale du Québec
Bibliothèque nationale du Canada

ISBN : 2-7625-4029-1   Imprimé au Canada

Photocomposition : Deval-Studiolitho Inc.

LES ÉDITIONS HÉRITAGE INC.
300, Arran, Saint-Lambert (Québec) J4R 1K5
(514) 875-0327

*À Georges, Lucile, Gabriel et Philémon
pour leur affection et leur soutien.*

*Mille mercis à Sylvie Côté
pour ses précieux conseils.*

À la recherche de...

Marielle, ma mère, est invitée vendredi soir à une fête costumée. Une grande soirée pour l'anniversaire de son amie Francine. Mais elle ne veut pas y aller ! Parce que le seul costume qu'elle a trouvé, c'est celui d'un chameau. Et il faut être deux pour le porter.

Malheureusement, Marielle est toute seule. Elle va être obligée de rester à la maison parce qu'elle n'a personne pour l'accompagner.

Même ses copines ne sont pas libres. Elles vont à la fête avec leur amoureux, elles ! À deux, on n'a jamais de problèmes de costumes. Si au moins le magasin louait un amoureux en

même temps que le déguisement…

J'y serais bien allé, moi, dans le chameau. Maman m'a répondu que la soirée finirait trop tard pour un garçon de mon âge.

Ah! je ferais tout pour la voir dans son déguisement. D'ailleurs, j'ai eu le temps d'y penser depuis hier. J'ai déjà tout un plan. J'attends seulement que la récréation de l'après-midi se termine pour passer à l'action.

Je vais lui en trouver un, moi, un amoureux pour sa fête costumée. Et elle pourra faire le chameau!

Tambourin et confettis

La cloche de l'école a sonné depuis cinq minutes et je suis toujours dans le corridor. J'attends encore un peu avant d'entrer dans la classe de musique. Cela fait partie de mon plan. Je <u>veux</u> être en retard. C'est à cause de maman…

Je ne comprends pas qu'elle soit toute seule. Grand-maman Célestine a grand-papa Ernest, tante Madeleine a oncle Julien, la voisine Claire a Paul, l'épicière du coin a son monsieur épicier, même ma chatte Brindille a un ami, celui qui est noir, blanc et gris.

C'est sûr que Marielle n'a pas toujours été

seule. Marc, mon papa, a déjà habité avec nous. Mais j'étais trop petit pour me souvenir comment c'était.

Je vois mon père une semaine sur deux. Il a une amoureuse depuis longtemps. Alors, pourquoi pas maman?

Un monsieur, ce n'est pas difficile à trouver. Moi, j'en connais plusieurs. Justement, le premier sur ma liste, c'est mon professeur de musique.

Oh! là là! le directeur qui approche, je fais mieux d'entrer tout de suite.

— Tiens, un retardataire, dit mon professeur de musique en me voyant.

Je sens que je deviens tout rouge. Mais je ne peux plus reculer. Je dois dire ce gros mensonge:

— Ça ne me dérange pas. Je n'aime pas les cours de musique.

— Va rejoindre tes camarades, Nicolas. On

en reparlera plus tard.

Jérôme, le professeur, nous fait asseoir en demi-cercle pour chanter. C'est une chanson très douce, une berceuse pour endormir les bébés.

Pour déranger la classe, je me mets à chanter très fort. Jérôme me regarde.

Je suis tellement mal à l'aise d'attirer son attention exprès que je préférerais être au fin fond de la jungle remplie de serpents plutôt qu'ici. Mais je continue quand même.

Jérôme dit alors :

— Nicolas, un peu plus doux.

Mais je chante encore plus fort. Ma voix couvre toutes les autres. Je hurle presque.

Tous les regards se tournent vers moi. Je pense que, même s'il y avait des crocodiles affamés dans ma jungle, j'irais m'y réfugier.

— Ça suffit, interrompt Jérôme. J'ai

l'impression que tu veux être le héros du jour, Nicolas. À toi donc de commencer le prochain exercice. Voici un tambourin. Bats un rythme avec ton instrument et tes camarades répéteront ensuite.

C'est le moment ou jamais. Je pense très fort au chameau. Je respire un grand coup. Et je me lève en poussant des cris et en frappant sur mon tambourin. Je fais le tour des amis en tapant du pied et en dansant comme un Indien.

Toute la classe est si surprise que personne ne bouge. On me regarde la bouche ouverte, les yeux ronds. Alors, je viens me placer devant eux, je plonge mes mains dans mes poches et je pousse un grand « Youpi » en lançant des poignées de confettis.

Les copains hurlent de joie. Mon professeur, lui, ne sourit pas.

Les derniers confettis finissent de tomber.

— C'était bien beau, Nicolas, dit Jérôme, très calme. Tu as dû mettre beaucoup de temps pour préparer ces confettis… et tu vas prendre aussi

beaucoup de temps pour les ramasser après la classe.

Et vlan ! je n'avais pas pensé à ce détail.

Après le départ de mes camarades, je me retrouve seul avec Jérôme, lui debout, et moi à quatre pattes en train de nettoyer mon dégât.

— Est-ce que ta mère vient te chercher après l'école ? demande-t-il.

Je garde la tête baissée pour qu'il ne voie pas mon sourire et je lui réponds par un oui timide.

— Très bien, nous allons l'attendre ensemble.

J'ai réussi! J'ai réussi! Mon plan a fonctionné. Jérôme va rencontrer maman.

Par le chemin des lilas

Je suis encore une fois dans le corridor. Jérôme parle avec ma mère dans la classe. Je suis certain qu'elle l'a invité. La porte s'ouvre enfin et je peux entendre la dernière phrase de Jérôme :

— Ne vous en faites pas, madame. Tout va s'arranger. Nicolas est un bon élève. Au revoir !

Maman semble préoccupée. J'en ai peut-être un peu trop fait. Mais je dois savoir tout de suite.

Alors, dès notre sortie de l'école, je lui dis :

— Comment tu l'as trouvé?

— Qui?

— Jérôme, mon professeur! Qui veux-tu d'autre?

— Je ne comprends pas pourquoi tu me demandes ça. Je viens d'apprendre que...

— L'as-tu trouvé gentil, beau, intéressant?

Elle pousse un long soupir et demande:

— Nicolas, qu'est-ce qui se passe?

Ah! des fois, les mères, ça ne comprend pas vite. J'ajoute donc:

— De quoi avez-vous parlé?

— Mais de toi, voyons. Au moins, il m'a rassurée en disant que ce n'était pas très grave. Sa compagne qui est psychologue dit toujours que...

Sa compagne... ça veut dire que Jérôme a une amoureuse! Je bouillonne, je fume, je sens que je vais exploser. Il n'aurait pas pu le dire plus tôt, non ? Je vais être obligé de rester tranquille jusqu'à la fin de l'année si je veux lui faire oublier mes folies.

Mais je ne dois pas me décourager. Passons au numéro deux sur ma liste.

— Marielle, j'ai envie de faire quelque chose de différent cet après-midi.

— J'ai bien vu ça ! Tu sais, Nicolas, il va falloir qu'on se parle sérieusement tous les deux à la maison.

— Oui, oui, c'est promis… Je voudrais prendre un autre chemin pour le retour. C'est un peu plus long mais ça te fera du bien, toi qui travailles toute la journée en face de l'écran de ton ordinateur.

Et je me dépêche d'ajouter :

— Il paraît qu'il y a plein de lilas tout en fleurs.

Je sais que ce sont ses fleurs préférées.

— Tu essaies de te faire pardonner? me dit-elle en posant son bras autour de mes épaules.

— Tu viens? C'est par là.

Et je lui prends la main pour l'entraîner. Heureusement que mon ami Philippe habite dans cette rue, sinon je n'aurais jamais su pour les lilas.

Je n'aurais jamais su non plus que la brigadière est malade et que c'est un vrai policier, avec une casquette et un uniforme, qui la remplace.

Je ne sais pas si les policiers aiment les chameaux… Il doit bien y avoir un poste de police dans le désert du Sahara!

Maman m'attire vers un arbre rempli de belles fleurs mauves.

— Tiens, Nicolas, sens le bon lilas.

Ça y est: lilas - Nicolas. Encore une autre rime. À l'école, les grands n'arrêtent pas de me taquiner avec mon nom: Nicolas tra la la, Nicolas les pieds dans les plats, Nicolas bébé lala !

Mais ma rime préférée, c'est Nicolas le chocolat. Parce que tout le monde aime le chocolat.

Voilà que maman à son tour a le nez enfoui dans les fleurs. Les yeux fermés, elle respire longuement. Comme si elle voulait garder le parfum en elle jusqu'à l'an prochain.

— Fais attention, lui dis-je, le lilas ne sentira plus rien si tu continues. Tu es en train d'aspirer tout son parfum !

— Tu as bien raison, répond-elle en me faisant un clin d'œil. Je vois déjà la manchette dans le journal de demain : « Catastrophe dans la ville : la terreur des lilas a encore frappé. Une rue entière a perdu toute odeur. L'alerte est lancée. Protégez vos lilas ! »

Je la trouve assez drôle, maman, quand elle fait des farces.

Comme un bébé
aux couches !

Rendu au coin de la rue, je décide qu'il me faut gagner du temps. Marielle et le policier parlent de la sécurité à bicyclette en attendant le petit « bonhomme blanc » lumineux qui permet aux piétons de traverser.

— Nicolas, viens, dit maman. La voie est libre.

— Je ne peux pas. Mon soulier est détaché.

— Fais vite, la lumière va tourner au rouge.

Un « bonhomme blanc » de gagné ! Il faut

attendre le prochain. Cette fois, je dis que je crois avoir oublié mon calepin de leçons à l'école.

Tranquillement, je sors un à un mes cahiers de mon sac et je les empile sur le trottoir. Je sais bien que mon calepin se trouve tout au fond. Mais je dois donner la chance à maman d'inviter le policier à sa fête costumée.

Un autre « bonhomme blanc » qui s'efface. Là, je reprends mon sac et je me mets sur le bord du trottoir comme si j'étais prêt à traverser.

Mais juste au bon moment, je me retourne et dis :

— Attends un peu, je viens de voir un beau caillou.

Marielle a déjà un pied dans la rue et commence à s'impatienter.

— Tu en as des tonnes à la maison. Dépêche-toi !

— Non, celui-là, il est différent. Je le veux.

Et je cours le chercher. C'est une roche tout à fait ordinaire, mais il fallait bien que j'invente une histoire.

Cette fois, maman n'est pas contente. Elle est tellement contrariée qu'elle ne s'occupe même plus du policier. Et elle me prend brusquement la main pour être certaine que je traverse avec elle.

J'ai soudain l'impression d'être un bébé aux couches. Je me sens idiot et, si je pouvais, je partirais me cacher dans ma jungle. Même si je devais y rencontrer une douzaine de tigres !

Puni et heureux de l'être

Après le souper, Marielle me demande de venir la voir à la cuisine. Elle est assise à la table et a son air des grandes discussions sérieuses.

Je m'assois à côté d'elle et elle me dit en me regardant dans les yeux :

— Qu'est-ce que tu as, aujourd'hui, Nicolas ?

Je hausse les épaules.

— Y a-t-il quelque chose qui te contrarie ? T'es-tu disputé avec un copain à l'école ?

Je fais signe que non.

— Si tu ne m'en parles pas, je ne pourrai pas t'aider.

— Il ne s'est rien passé de spécial, maman.

Je ne peux tout de même pas lui parler de mon plan.

— Bon, puisque tu ne veux rien me dire… soupire-t-elle. Je n'accepte pas ce que tu as fait pendant la période de musique. Alors, ce soir, tu restes à la maison. Pas question de vélo avec tes amis. Je veux que tu réfléchisses à tout ça.

Je prends un air triste et je m'en vais, tête basse, jusqu'à ma chambre. Je referme la porte derrière moi.

Je ne peux m'empêcher de sourire de toutes mes dents. C'est exactement ce que je voulais. Ma punition va me permettre de passer à la troisième étape de mon plan. Sans que maman ne se doute de rien.

Avant tout, je dois noter mes résultats sur ma feuille secrète. Bien sûr, je l'ai cachée. Et bien cachée.

Pour trouver la feuille, il faut enlever mon chandail bleu avec une tête d'aviateur, mon pantalon rouge avec une ligne blanche sur le côté, mes toutous, le castor, le singe, l'ourson brun, l'ourson blanc, le chien aux longs poils, le chat aux petits poils, ma grande poupée toute molle, ma couverture quand j'étais bébé et, pour finir, mon sac de couchage roulé en boule.

Même maman ne peut deviner ce qu'il y a là-dessous.

J'ai divisé ma feuille secrète en plusieurs colonnes. Une pour chaque monsieur. Malheu-

reusement, je ne peux inscrire que deux gros zéros comme résultat : un pour mon professeur de musique et l'autre pour le policier.

Mais j'ai encore beaucoup de colonnes sur ma feuille et plein d'idées dans ma tête pour l'étape numéro trois. J'ai tout ce qu'il faut dans ma chambre. Du carton rouge, des ciseaux et des crayons.

Le troisième monsieur sur ma liste, c'est le facteur. Voici ce que je me propose de faire : je veux découper tout plein de cœurs, de toutes les grosseurs. Et je vais ajouter des X partout, comme pour des becs.

Le reste, ce n'est pas compliqué. Je vais déposer les cœurs dans la boîte aux lettres de la maison. Quand le facteur viendra demain pour livrer le courrier, il va trouver les cœurs.

Il va penser que c'est maman qui lui fait un cadeau. Même si ce n'est pas la Saint-Valentin, il va comprendre qu'elle lui donne des cœurs pour lui dire qu'elle l'aime. Alors il va sonner. Elle va quitter son ordinateur. Et ils vont se parler.

Ensuite… tout peut arriver. J'aimerais bien que Marielle ait un facteur comme amoureux. Parce qu'on aurait toujours notre courrier les premiers.

Rouge comme un cœur

Découper des cœurs, c'est très facile. Mais aller les déposer dans la boîte aux lettres, c'est toute une expédition.

Il ne faut surtout pas que maman me voie. Heureusement, elle parle au téléphone avec une copine. Une autre qui a son amoureux pour la fête de vendredi soir !

Pas de problème pour sortir de ma chambre. Je suis en punition, mais je ne suis pas enfermé. Je cache mes cœurs sous mon tee-shirt. J'enfile en plus un chandail que je rentre bien serré dans mon pantalon. C'est la meilleure des cachettes.

Je me dirige vers la cuisine en sifflotant. Je fais comme si de rien n'était. Les mains dans les poches, je regarde à gauche, à droite, en haut, en bas. Et je siffle toujours.

À vrai dire, je commence à être essoufflé. Il n'y a pas très longtemps que j'ai appris à siffler. En passant devant un miroir, je vois que je suis rouge comme un atoca.

Je vais m'asseoir à la table de la cuisine. Très tranquillement, je déplace ma chaise.

Je suis presque rendu à la porte de sortie. Je réussis à mettre ma main sur la poignée et je commence à la tourner tout doucement. J'entends un déclic et…

Et là, ma mère raccroche le téléphone et entre dans la cuisine.

— Qu'est-ce que tu fais là? demande-t-elle, étonnée.

Je suis tellement embarrassé que je ne trouve rien à dire. J'aimerais mieux disparaître dans ma jungle et être encerclé par dix panthères que d'avoir à répondre à cette question. Je finis par bredouiller :

— Je... je... j'avais chaud. Je voulais prendre l'air, oui, c'est ça.

— Mais c'est vrai que tu n'as pas l'air bien, remarque-t-elle en s'approchant. Tu es écarlate. Un vrai homard. Montre voir si tu fais de la fièvre.

Elle pose sa main sur mon front et dit :

— C'est un peu chaud. Tu es peut-être fatigué. Va sur la galerie respirer l'air frais. Il se peut que tu couves une belle petite maladie. Moi, je vais prendre un bain. Je suis crevée.

Quand je pense que c'est elle qui m'envoie dehors ! Et moi qui faisais tout pour qu'elle ne s'aperçoive de rien.

Il va falloir que je me dépêche. Quand maman se baigne, elle m'appelle parfois pour que je lui lave le dos. Elle dit que je suis le meilleur laveur de dos au monde !

Je traverse la galerie à pas de loup. Rendu à l'escalier, je tends une oreille vers la fenêtre. Tout est calme.

Alors, je dévale les quelques marches et je cours à toute vitesse jusqu'en avant. Si vite que mes talons frappent mes fesses. Un véritable éclair.

Je tâte mon chandail. Rien n'a bougé. La boîte aux lettres est fixée très haut. Mais en m'étirant le bras, je réussis à glisser les cœurs par la fente.

Oh! j'entends maman qui m'appelle. Il reste encore un cœur. Tant pis.

Je retrousse mon tee-shirt pour l'enlever. J'ai eu si chaud que le carton rouge a déteint. J'ai un beau grand cœur tatoué sur le ventre.

Vive les otites!

Ce matin, je vais dire un autre gros mensonge. C'est bien parce que vendredi soir arrive à sauts de kangourou et que maman n'a toujours personne pour son chameau.

Je me décide et je crie de mon lit :

— Maman, j'ai mal aux oreilles.

Elle arrive aussitôt, affolée.

— Tu en es sûr? Je comprends pourquoi tu étais si rouge, hier.

Je prends une voix plaintive et j'ajoute :

— Ooooh… ça tire, ça élance. Ça fait ma-al…

— Attends, je vais soulever ta tête, dit-elle en déplaçant l'oreiller. J'ai peut-être une chance d'obtenir un rendez-vous si j'appelle tout de suite.

Et elle court au téléphone.

Je savais bien que mon truc allait fonctionner. Maman a une peur bleue des otites. Quand j'étais petit, j'en faisais à répétition. Nous étions toujours rendus chez le pédiatre. Et c'est un monsieur !

Nous allons donc à la clinique où nous attendons une longue demi-heure. Enfin, mon tour arrive. Cette fois, je le sens, mon problème est réglé.

J'entre le premier. Je reste figé sur place…

— Bonjour, Nicolas, dit une femme aux cheveux blonds, je suis le docteur Andréanne Garon. Je remplace ton pédiatre qui est en vacances. Assieds-toi sur le lit ici.

Non, pas encore un autre zéro sur ma liste ! J'ai la gorge serrée. Mes yeux piquent. J'ai envie de pleurer.

— Relève ton chandail, dit Andréanne, je vais t'examiner.

Montrer mon ventre, jamais ! Plutôt affronter un troupeau d'éléphants en colère.

— Voyons, Nicolas, dit Marielle. Tu sais que ça ne fait pas mal.

Bien sûr que je le sais. Mais je ne vais tout de même pas leur montrer mon cœur tatoué. Alors, je me croise les bras et je ne bouge plus.

La pédiatre est très gentille parce qu'elle n'insiste pas. Elle aurait peut-être voulu faire le chameau. Mais elle vient de dire à maman que si j'avais encore mal, nous pourrions revenir un autre jour. Elle travaille même le vendredi soir…

Du chocolat pour
mon chameau

Je reviens tout seul de l'école cet après-midi. Marielle n'a pas le temps de faire une promenade. Je dois dire qu'elle n'était pas très contente d'être allée à la clinique pour rien.

Avant de rentrer, je constate que les cœurs de carton ne sont plus dans la boîte aux lettres ! J'ai tellement hâte de savoir ce qui s'est passé que je cours jusqu'à la porte. Sûrement aussi vite qu'un guépard.

Maman m'accueille avec un grand sourire et me serre très fort dans ses bras.

— Tu sais que je t'aime gros, Nicolas. Le facteur m'a fait toute une surprise pendant que tu étais à l'école.

Enfin, mon plan a réussi! J'en étais sûr.

— Il a sonné pour me dire qu'il n'y avait plus de place dans la boîte pour y déposer le courrier. Parce qu'elle était remplie de cœurs. Nicolas, il n'y a que toi pour me faire un si beau cadeau. Tu es mon petit koala chéri, ajoute-t-elle en me serrant encore plus fort. Pour te remercier, je vais préparer ta collation favorite : une mousse au chocolat. Va faire un tour de vélo et reviens dans une dizaine de minutes.

Je me sens soudain très triste. C'est comme si tous les oiseaux de ma jungle s'étaient arrêtés de chanter en même temps.

Je n'ai même pas de plaisir à pédaler. Je roule sans trop regarder où je vais. Je n'ai vraiment pas de chance. Le facteur n'a rien compris.

Mais au moins, j'ai gagné un bon dessert. Miam! De la mousse au chocolat. En plus, c'est la recette de mon parrain Louis. J'ai assez hâte d'en manger!

Eh, le gros trou! Oh! non, trop tard. Je lâche le guidoooon...

Aïe... Aoutch... Mon coude! Mon genou! Que ça fait donc mal! Oh! non, ça saigne en plus. Et mon pantalon préféré, je l'ai tout déchiré.

— Tu t'es fait mal? demande une voix dans mon dos. Veux-tu que je t'aide?

Un grand monsieur est penché sur moi.

— Je m'appelle Éric, dit-il avec un gentil sourire.

À ce moment-là, j'aperçois Marielle qui sort sur le perron. Elle vient sûrement me dire que la collation est prête. Même si mon genou me fait très mal, je sais bien que je serais capable de retourner à la maison tout seul.

Sauf que, si je me relève, maman ne viendra pas voir ce qui se passe et elle ne pourra pas rencontrer le monsieur avec le gentil sourire.

C'est peut-être ma dernière chance de lui trouver un amoureux.

— Nicolas, qu'est-ce qu'il y a? demande maman en arrivant près de moi. Tu es tombé? As-tu mal?

Je réponds en faisant la grimace:

— Ça chauffe, et ça sa-aigne. Mon genou est écorché jusqu'à l'os.

— Voyons, Nicolas, ce ne doit pas être si grave. Es-tu certain que tu ne peux pas te relever?

Je m'appuie contre le poteau de téléphone tout près et je fais semblant d'être incapable de me mettre debout.

C'est quand même vrai que j'ai le genou en compote. Alors, je réponds en exagérant juste un peu:

— Je... je ne peux plus marcher. Ça élance troooop...

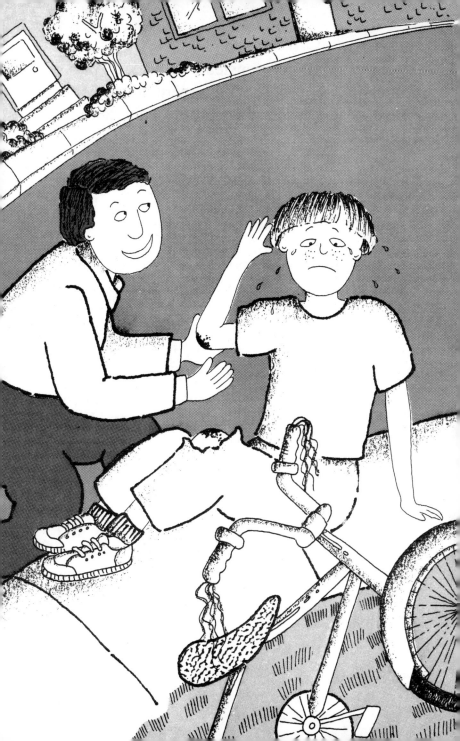

Éric, le grand monsieur, se décide enfin à intervenir et propose à ma mère de me porter jusqu'à la maison. J'en profite pour faire les présentations.

— Marielle, c'est Éric. C'est lui qui est arrivé le premier pour m'aider. C'est vraiment un très, très gentil monsieur.

Ils se serrent la main, puis Éric me prend dans ses bras. Ça fait encore moins mal que tout à l'heure.

Nous arrivons à la maison et Éric me transporte jusqu'à ma chaise dans la cuisine. Il aide maman à nettoyer la blessure et c'est même lui qui pose le pansement sur mon genou. Je me sens en confiance avec lui. Je suis certain qu'ensemble nous pourrions chasser tous les animaux féroces de ma jungle.

Mais je suis encore un peu triste parce qu'il y a un gros trou dans la jambe de mon pantalon. Maman me rassure en disant qu'elle va poser une grande pièce. Même en forme… d'hippopotame si je le veux ?

Éric trouve que c'est une excellente idée :

— Tu es très chanceux, me dit-il. Personne, dans toute la ville, n'aura un pantalon aussi original que le tien.

Comme c'est toujours l'heure de la collation, maman invite Éric à manger avec nous de la mousse au chocolat. Je les trouve drôles tous les deux parce qu'ils n'arrêtent pas de parler en se faisant de grands sourires. Et quand je sors pour retourner à vélo, Marielle et Éric ne s'en rendent même pas compte.

Je crois que, cette fois, ça y est : j'ai enfin trouvé un chameau pour maman !

Ce n'est pas trop tôt. Vendredi, c'est demain !

Table des matières

Photo: Michel Boulianne

L'auteure : Lucie Bergeron

Lucie Bergeron a toujours aimé inventer des histoires. *Un chameau pour maman* est son premier roman. Elle l'a écrit en regardant ses deux fils grandir. Elle chérit particulièrement sa famille, ses amis, et un petit coin de Charlevoix… Elle détient une maîtrise en littérature québécoise et travaille comme agente de production pour le théâtre des *Marionnettes du Bout du Monde* de Québec.

L'illustratrice : France Forant

France Forant dirige un studio de graphisme et d'illustration à Repentigny. Elle crée, avec son équipe, des images pour la publicité, pour des revues et des journaux ; elle invente des logos, fait du montage et élabore des affiches. Mais c'est toujours l'illustration que France préfère : c'est un bonheur pour elle, une récompense que d'illustrer tout un livre pour les enfants. En cours de route, elle n'oublie jamais de consulter ses exigeants conseillers en la matière : ses trois neveux Jean-Denis, Marc et Frédéric.

La collection Libellule propose aux lecteurs de sept ans et plus de brefs récits et de petits romans palpitants écrits par des auteurs qui connaissent bien les jeunes. On y trouve des personnages attachants qui évoluent dans des situations inspirées de la vie quotidienne. Une typographie et une mise en page aérées augmentent le plaisir de lire des textes où l'humour et la joie de vivre sont toujours présents. Chaque ouvrage comporte une note biographique sur l'auteur et l'illustrateur.

Les petits symboles placés devant chaque titre indiquent le degré de difficulté de l'ouvrage.

🍃 texte moins long et plus facile.
🍃🍃 texte plus long et moins facile.

À partir de 7 ans

As-tu lu les livres de la collection Libellule? Ce sont des petits romans palpitants. Ils sont SUPER! Si tu veux bien t'amuser en lisant, choisis parmi ces titres.

Le bulldozer amoureux
Marie-Andrée Boucher-Mativat

Cinq tonnes de muscles d'acier, la force de soixante chevaux, rien ne résiste à Brutus. Pourtant, un soir d'été, loin des clameurs de la ville, une rencontre imprévue bouleverse son existence.

Les sandales d'Ali-Boulouf
Susanne Julien

Dans un pays, en plein désert, Ali-Boulouf porte des sandales qui le mettent dans un drôle de pétrin. Moulik, gamin plein d'astuce et de débrouillardise, sauvera-t-il son oncle de la prison?

Nu comme un ver
Daniel Wood

Simon découvre que la marée a emporté ses vêtements tandis qu'il se baignait tout seul à la plage. Comment va-t-il parvenir à rentrer tout nu chez lui à l'autre bout de la ville?

Colin et l'ordinateur
Peter Desbarats

Colin apprend très vite à utiliser le nouvel ordinateur de son père. Mais il apprendra à ses dépens que les machines peuvent jouer de fameux tours.

La pendule qui retardait
Marie-Andrée Boucher-Mativat

Une petite pendule retarde toujours d'une minute. Chassée de chez elle, la voici errant dans les rues. Elle ignore que le sort du monde est lié à chacun de ses tics et de ses tacs.

Moi, j'ai rendez-vous avec Daphné
Cécile Gagnon
Voici la courte biographie d'un chat ordinaire qui fait l'apprentissage de la vie. Il partage le logis de Noémie qui lutte avec détermination pour devenir écrivaine.

La sorcière qui avait peur
Alice Low
Ida, la petite sorcière, est désespérée: elle ne réussit pas à faire peur. Heureusement, un gentil fantôme vient à sa rescousse et Ida reprend possession de tous ses pouvoirs.

L'ascenseur d'Adrien
Cécile Gagnon
Dans un vieil hôtel démodé, Adrien, l'opérateur de l'ascenseur et Gilbert, le portier, sont mis à la porte. Mélanie, une petite fouine de 8 ans et son copain Ange-Aimé, se joignent à eux pour former la plus sympathique entreprise de recyclage qui soit.

Le lutin du téléphone
Marie-Andrée et Daniel Mativat
Viremaboul est un maître en farces et attrapes, doublé d'un génie des mathématiques. Dans son logis, au creux d'un sapin, il mène une existence agréable jusqu'au jour où le progrès vient tout bouleverser.

Quand les fées font la grève
Linda Briskin et Maureen Fitzgerald
Édith a recours aux fées pour obtenir la réalisation d'un voeu. Mais les fées ont des problèmes au travail et, suivant ses conseils, elles font la grève. Édith obtiendra ce qu'elle désirait d'une façon inattendue.

Un fantôme à bicyclette
Gilles Gagnon
Jasmine est propriétaire d'une bicyclette. Avec son ami Tom-Tom elle tente de déjouer les mystifications de l'étrange «fantômus bicyclettus».

GroZoeil mène la danse

Cécile Gagnon

Un nouvel épisode de la vie mouvementée des chats danseurs Daphné et GroZoeil. Cette fois, ils passent des vacances à Rosemont et deviennent les vedettes d'une campagne de publicité.

Mademoiselle Zoé

Marie-Andrée et Daniel Mativat

À cause d'une maladresse de son maître, l'émir Rachid Aboul Amitt, Zoé devra quitter son pays, le Rutabaga, pour aller vivre en Fanfaronie. Zoé s'adaptera-t-elle à sa nouvelle existence?

Kakiwahou

A.P. Campbell

Voici l'histoire d'un petit Amérindien d'autrefois qui vit sur les bords de la Miramichi. Il ressemble à tous les autres sauf... pour sa façon de marcher qui est plutôt particulière.

Où est passé Inouk?

Marie-Andrée Boucher-Mativat

Ce matin, François et Sophie sont très excités. En effet, pour la première fois cet hiver ils partent à la pêche sur la glace. Mais ils ne sont pas seuls. Ils ont décidé d'emmener leur chien, Inouk. Est-ce vraiment une bonne idée?

Une lettre dans la tempête

Cécile Gagnon

François habite à Havre Aubert, une des îles de la Madeleine. Un jour, en plein hiver, le câble télégraphique qui relie les îles au continent se casse. François a un message important à transmettre. Mais comment faire quand les navires ne peuvent circuler à cause des glaces?

Moulik et le voilier des sables

Susanne Julien

Moulik et ses amis construisent un drôle de voilier. Comment se terminera leur voyage dans le désert et leur visite d'une oasis, quand on sait qu'une bande de féroces brigands rôde dans les parages?

Un chameau pour maman
Lucie Bergeron

Pourquoi Nicolas a-t-il tant besoin d'un chameau pour sa mère? Est-ce pour lui donner en cadeau d'anniversaire? Ou parce qu'elle prépare une étude sur les animaux d'Afrique? Ou bien parce qu'elle part pour un long voyage dans le désert? Et si ce n'était pour aucune de ces raisons...

La planète Vitamine
Normand Gélinas

Le savant professeur Minus dépêche ses aides, Fiou et Pok, pour porter secours aux habitants des diverses planètes. Les voici qui débarquent sur la planète Vitamine où un intrus, beau parleur, a convaincu les tomates de recevoir un traitement aux engrais chimiques. Tous les fruits et les légumes de cette planète fraîcheur vont-ils subir le même sort?

La course au bout de la terre
Louise-Michelle Sauriol

En Alaska, c'est la grande course annuelle de chiens de traîneaux. Yaani, enfant d'un village Inuit, se lance à l'aventure avec ses huit chiens huskies. Près de 2,000 kilomètres à franchir, un défi monstre! Tempête, accident, orignaux, le mettent durement à l'épreuve. Va-t-il pouvoir terminer la course?

Lulu Libellule te propose aussi

Mon livre des fêtes et anniversaires

qui te servira à noter les fêtes et les anniversaires de tes parents et amis. Comme ça, tu n'oublieras plus personne!

Mon livre d'autographes

où tu pourras faire signer tous les gens qui sont importants pour toi: tes parents, tes amis, tes profs, etc. Ainsi tu conserveras longtemps leur souvenir.

ACHEVÉ D'IMPRIMER
EN SEPTEMBRE 1991
SUR LES PRESSES DE
PAYETTE & SIMMS INC.
À SAINT-LAMBERT, P.Q.